Cuentos y cultura

1

Answer Key

HOLT, RINEHART AND WINSTON

A Harcourt Education Company

Orlando • Austin • New York • San Diego • London

To the Teacher

Cuentos y cultura

Holt's Interactive Beginning Reader, **Cuentos y cultura**, is divided into ten chapters. In each chapter you will find two sections: **Cuéntame un cuento** and **Cultura hispana**. Each section consists of a reading plus pre-reading, reading, and post-reading activities that will help students build vocabulary and reading comprehension skills.

Introducción

This is the Chapter Opener. Students will read a brief description of each reading in **Cuéntame un cuento** and **Cultura hispana**.

Prepárate: Vocabulario

This feature gives students the opportunity to familiarize themselves with some of the vocabulary in the readings, before they actually read the stories. Students will complete activities that target these words as well as a grammar topic previously learned and also present in the reading.

In **¡Ya sé...!** students will review some words that they have seen in *¡Exprésate!* The words in **Mi pequeño diccionario** are new words found in the story.

Acuérdate de la gramática is a review of a grammar topic from *¡Exprésate!*, which is also present in the story. Students will practice this topic within context of the vocabulary found in the reading. They will practice it once more in **Mientras lees**, when they see examples of it in the reading

Estrategia para leer

This feature presents reading strategy skills that will help students improve their reading comprehension. Students then complete charts or diagrams where they apply the skills presented.

Cuéntame un cuento

Cuéntame un cuento features a story created to meet the needs of beginning readers. The vocabulary and grammar in the readings match some of the vocabulary and grammar that students have learned in the corresponding chapters of *¡Exprésate!* The characters, a group of high school students who belong to a Spanish Club, appear separately and as a group in different chapters, giving the story some continuity.

Cultura hispana

In **Cultura hispana** students will read a one-page introduction to the cultural theme in the reading and a cultural or literary reading which is tied to the location of the corresponding chapter of *¡Exprésate!*. In both, the introduction and the actual reading, students learn about various cultural topics in the Spanish-speaking world. The literary readings are authentic and for that reason, they are more challenging. Nevertheless, students are provided with enough activities to help them understand the text.

Mientras lees

This feature, a side margin on each reading page, includes questions that allow students to interact with the text as they read. **Para empezar...**, at the beginning of the story, triggers prior knowledge, setting the scene for the reading.

Question A asks students to identify, list, underline, or highlight words or sentences that target vocabulary items or grammar concepts on page.

Question B, **Contesta**, is a closed-ended activity that targets literal comprehension of the story. This question, always in Spanish, promotes vocabulary building and reading comprehension skills.

Question C is a higher-level thinking skill question where students are asked to analize parts of the reading, or to make comparisons, predictions and inferences. Students may answer this question in English but should be encouraged to give examples in Spanish from the reading to support their answers.

Después de leer

This feature includes multiple-choice questions and activities that test reading comprehension and practice vocabulary in the context of the story.

Questions in **¡Piénsalo bien!** allow students to relate to the story from a personal perspective. In **¡Exprésate** and **¡Un poco más!** students complete more hands-on activities and do their own research on the various themes of the readings.

All questions in **¡Piénsalo bien!** are in English. In the beginning chapters more so than in the later ones, students should be allowed to answer those questions in English, as many of them don't have the necessary knowledge and skills to answer them in Spanish. Nevertheless, it is recommended that students find examples in the readings that support their answers or opinions. Those examples should be in Spanish. These guidelines should also be used for the higher-level thinking questions in **Mientras lees** and to some extent, for **Para empezar...**, the question that triggers prior knowledge at the beginning of each reading.

Glosario

In the glossary students will find the words in **¡Ya sé...!** and in **Mi pequeño diccionario**, as well as other Spanish words present in the readings, in the activities or in direction lines which may be difficult to understand.

  (iv)

Cuentos y cultura
INTERACTIVE BEGINNING READER

Answer Key
Table of Contents

Capítulo 1

Un club sin igual

Prepárate: vocabulario

Page 1

A. La palabra intrusa
1. marzo
2. ocho
3. intercambio
4. colegio
5. hola
6. profesor

B. Con lógica
1. concurso
2. colegio
3. horario
4. noticias
5. reunión

Page 2

C. Clasifica
People and places:
Possible answers: colegio, profesor, compañero de clase
School days:
Possible answers: lunes, martes, miércoles, jueves, viernes
Summer months:
Possible answers: mayo, junio, julio y agosto
School activities:
Possible answers: concurso, encuesta, reunión, estudiar, noticias

D. ¿Cuál es?
1. es; Ella es la mejor amiga de Bobby.
2. es; Ella es de Madrid, España.
3. son; Ellos son de los Estados Unidos.
4. son; Ellos son estudiantes.
5. es; Él es el nuevo amigo de Pilar.

Page 3

Estrategia para leer
A. Cognados
Cognates: rimas, septiembre, abril, junio, noviembre, febrero
Underlined words:
Felicitaciones = congratulations

ganadora = winner
¿Cuántos…? = How many…?
tiene = has
sólo hay = there is only
los demás = the rest

B. Preguntas
1. Doris Delgado
2. The number of days in all of the months
3. Yes, because it's about how many days there are in each month.

Mientras lees

Page 4

<u>SIDEBAR ACTIVITIES</u>
Para empezar...
Answers will vary.
A. Haz una lista
Answers will vary.

B. Contesta
1. **b.** Concursos
2. **b.** Programas de intercambio
3. **a.** Exposición

C. Analiza
Answers will vary.
Possible answers:
Yes. The poll results indicate that 160 out of 208 students who responded agreed that it was important to study Spanish. From looking at the Web Page you can see that students from the Spanish Club are very active participants.

Page 5

<u>SIDEBAR ACTIVITIES</u>

A. Identifica
Circle: October 12, November 25, December 20 thru December 31
Possible answers:
1. el doce de octubre
2. el veinticinco de noviembre
3. el veinticinco de diciembre
4. el treinta y uno de diciembre

B. Contesta
1. **b.** los jueves
2. **b.** en diciembre
3. **a.** el 29 de noviembre

1

C. Compara

Possible answers:
They have the most activities in November. There are less activities in December and the least number of activities in October.

Page 6

<u>SIDEBAR ACTIVITIES</u>

A. Subraya

1. ¿De dónde eres tú?
2. Yo soy de Madrid, España.
3. Ella es la presidenta del club de español.

B. Contesta

1. **a.** Pilar.
2. **b.** la mejor amiga
3. **b.** un programa de intercambio.

C. ¡Exprésate!

Answers will vary.

Después de leer

Page 7

A. En contexto

1. **c.** Miembros del club
2. **b.** una rima
3. **a.** lavado de carros
4. **c.** un miembro del club de español
5. **a.** Es de Madrid, España.
6. **c.** el correo electrónico de Graciela

B. Fechas y eventos

1. el sábado veinte de noviembre – Baile anual del club
2. el viernes 12 de noviembre – Excursión al Museo de Arte Latinoamericano
3. el martes dos de noviembre – Celebración del día de los muertos
4. el jueves 4 o el jueves 18 de noviembre – Reunión del club de español
5. el lunes 29 de noviembre – Audiciones para obra de teatro

Page 8

C. ¡Piénsalo bien!

1. *Answers will vary.*
2. *Answers will vary.*
3. *Answers will vary.*

D. ¡Exprésate!

Websites will vary.

E. Un poco más

Answers will vary.

Museos del mundo hispano: *Imagination on display*

Page 9

¡Exprésate!

1. A museum is a place where collections of objects with cultural value are kept. We have museums so people can come and study and learn from those collections.
2. Artifacts and sculptures of the pre-Hispanic civilizations of Mexico.
3. *Answers will vary.*

El museo del Prado

Prepárate: vocabulario

Page 10

A. Con lógica

1. **e.** obras
2. **a.** precio de entrada
3. **f.** menores
4. **b.** gratuito
5. **c.** cerrado
6. **d.** Viernes Santo

B. Clasifica

1. flores
2. obra
3. pintor(a)
4. pintura
5. retratos
6. tema

Page 11
Estrategia para leer
Practica la estrategia
A. Cognados

evento = *event*;
extraordinario = *extraordinary*;
artistas = *artists*; momento = *moment*;
increíbles = *incredible*;
organizado = *organized*;
centro = *center*; nacional = *national*;
cultura = *culture*; beneficio = *benefit*;
Artes = *Arts*; septiembre = *September*;
avenida = *avenue*

Underlined words: Gran = *Great*;
los más famosos = *the most famous*;
Todo a la venta = *Everything on sale*;
por = *for*; el = *the*; la = the;
la Escuela = *the School*;
¡Contribuya! = *Contribute!*;
para todos = *for everybody*

B. Contesta
1. An exhibition of artwork for sale
2. The artwork of the most celebrated artists of the day
3. Because it s great artwork at incredible prices
4. To contribute to the School of Fine Arts by buying some artwork
5. No one
6. the 19th of September from 9 a.m to 4 p.m., at Avenida 19 #1302, La Coruña

Mientras lees

Page 12
<u>SIDEBAR ACTIVITIES</u>

Para empezar...
Answers will vary.

A. Subraya
1. tres, cuatro, nueve, uno, tres, tres, cero, dos, ocho, cero, cero
2. desde las nueve de la mañana hasta las siete de la tarde/noche

B. Contesta
1. **b.** 3.01 Euros
2. **b.** los lunes
3. **a.** dos de la tarde

C. Analiza
el primero de enero y el Viernes Santo

Page 13
<u>SIDEBAR ACTIVITIES</u>

A. Haz una lista
adjectives: famoso, español, magnífica, iluminadas

B. Contesta
1. **a.** flores
2. **b.** catorce
3. **a.** importantes

C. ¡Exprésate!
Answers will vary.

Después de leer

Page 14
A. En contexto
1. **b.** Juan de Arellano
2. **c.** El Greco
3. **c.** El Greco
4. **c.** la Familia Real
5. **c.** El Greco
6. **b.** Goya

B. En resumen
1. hay
2. famosos
3. cerrado
4. el Viernes Santo
5. gratuito
6. más

Page 15
C. ¡Piénsalo bien!
1. *Answers will vary.*
2. *Answers will vary.*
3. *Answers will vary.*

D. ¡Exprésate!
Answers will vary.

E. Un poco más
Answers will vary.

   3

Capítulo 2

¡Ni un minuto que perder...!

Prepárate: vocabulario

Page 17

A. La palabra intrusa
1. serio
2. listo
3. beca
4. fiestas
5. solicitud
6. trabajador

B. Con lógica
1. **d.** GPA
2. **e.** an old person
3. **c.** financial aid
4. **b.** job
5. **a.** hobbies

Page 18

C. ¿Te gusta o te encanta?
Answers will vary. Possible answers:
1. los libros de misterio: me gustan, me encantan, no me gustan
2. las películas de acción: me gustan, me encantan, no me gustan
3. la clase de matemáticas: me gusta, me encanta, no me gusta
4. las calificaciones: me gustan, me encantan, no me gustan
5. Un programa de intercambio: me gusta, me encanta, no me gusta

D. ¿Qué les gusta?
1. le gusta/le encanta
2. les gustan/les encantan
3. le gustan/le encantan
4. nos gusta/nos encanta
5. te gusta/te encanta

Page 19

Estrategia para leer

A. Lo que ya sabes
1. **c.** an obituary; information about someone passing away: date, time and place where the funeral services will take place
2. **d.** a wedding announcement; information about someone getting married: date, time and place where the wedding will take place
3. **a.** travel brochure; information about things to do in San Antonio
4. **b.** Valentine's card; a greeting of love

Mientras lees

Page 20

SIDEBAR ACTIVITIES

Para empezar...
Answers will vary.

A. Imagina
Answers will vary.

B. Contesta
1. **a.** en un café.
2. **a.** los libros.
3. **b.** formidable.

C. Compara
Besides reading, they both like studying abroad. Graciela is an exchange student and Pilar wants to be one.

Page 21

SIDEBAR ACTIVITIES

A. Ponle color
1. El programa de intercambio en mi colegio es muy divertido.
2. Y, ¿es difícil obtener una beca?
3. Debes ser una estudiante excelente.
El programa de intercambio, una beca y una estudiante are being described.

B. Contesta
1. **a.** becas
2. **b.** ser buen estudiante.
3. **a.** llenar una solicitud.

C. Predice
Answers will vary. Possible answer:
She will apply to the exchange program at Graciela's school.

Page 22

SIDEBAR ACTIVITIES

A. Haz una lista
Possible answers:
extrovertida, responsable, excelente, activa, atlética

B. Contesta
1. Pilar es de Madrid, España.
2. Ella tiene dieciséis años.
3. Su cumpleaños es el trece de enero.

C. ¡Exprésate!
Answers will vary.

Después de leer

Page 23
A. En contexto
1. **b.** las frutas
2. **a.** los libros
3. **a.** divertido
4. **b.** ser de un país hispano
5. **c.** dieciséis años
6. **a.** ser buen estudiante
7. **a.** los libros y las fiestas
8. **c.** Hay muchas actividades.

B. Llena la solicitud
Applications will vary.

Page 24
C. ¡Piénsalo bien!
1. Yes. She has a 4.0 grade point average; she is an excellent student; she's very responsible.
2. *Answers will vary.*
3. *Answers will vary.*

D. ¡Exprésate!
Descriptions will vary.

E. Un poco más
Letters will vary.

Parques nacionales: *Saving Nature*

Page 25
¡Exprésate!
1. The government of a country. It's important for governments to preserve their natural resources.
2. Because it has a unique and vast species of flora and fauna.
3. *Answers will vary.*

El coquí

Prepárate: vocabulario

Page 26
A. Categorías

Colors	Sound	Time and place
1. amarillo	cantan	cada noche
2. anaranjado	fuerte	la isla
3. azul	se oye	nunca
4. verde	la voz	el vecindario

B. El coquí
1. rana
2. pequeña
3. voz
4. salen
5. come
6. vecindario

Page 27
Estrategia para leer
A. ¿Qué sabes?
Answers will vary. Possible answers:
General description: small, green, loud
Development: tadpole, frog
Environment: They live by lakes. They eat insects.
Value to humans: They get rid of pesky insects, like mosquitoes.

Mientras lees

Page 28
SIDEBAR ACTIVITIES
Para empezar...
Answers will vary. Possible answer:
A rainforest is a jungle with a lot of animals and plants where it rains a lot.

A. Identifica
Answers will vary. Possible answers:
la voz, la rana, la especie, el estruendo, el concierto, el canto

B. Contesta
    1. **a.** ranas
    2. **a.** fuerte
    3. **b.** dieciséis

C. Analiza
Answers will vary. Possible answer:
A concert of thousands of electric guitars.

Page 29

SIDEBAR ACTIVITIES

A. Haz una lista
verde, marrón, gris, amarillo, azul, anaranjado, dorado

B. Contesta
    1. **f.** El coquí es de mucho colores.
    2. **c.**
    3. **f.** El coquí come insectos.
    4. **c.**

C. ¡Exprésate!
Answers will vary.

Después de leer

Page 30
A. En contexto
    1. **b.** famosa
    2. **a.** co-quí
    3. **b.** renacuajo
    4. **c.** noche
    5. **c.** de muchos colores
    6. **b.** insectos

B. En resumen
    1. rana 2. pequeña 3. nunca 4. fuerte
    5. noche 6. salen 7. voz

Page 31
C. ¡Piénsalo bien!
    1. *Answers will vary.*
    2. *Answers will vary. Possible answer:*
      An eagle. Freedom.
    3. *Answers will vary.*

D. ¡Exprésate!
Answers will vary.

E. Un poco más
Answers will vary.

Capítulo 3

¡Aquí y ahora!

Prepárate: vocabulario

Page 33
A. La palabra intrusa
1. resultados
2. ¡Por supuesto!
3. ver televisión
4. favorito

B. ¿Qué te gusta hacer?

Cuando hace sol…	Cuando llueve…
1. patinar	dibujar
2. ir a la playa	escuchar música
3. montar en bicicleta	jugar video-juegos
4. practicar deportes	navegar por Internet

Page 34
C. ¿Sí o no?
Answers will vary.

D. ¿Qué hacen los jóvenes?
1. practican muchos deportes
2. escucha música
3. paso el rato sola
4. dibuja
5. nadamos

Page 35
Estrategia para leer
A. Titulares
Answers will vary. Possible answers:
Mis predicciones:
1. The president of the Spanish club will talk about her experience while in Spain.
2. Students will read the results of a survey.
3. An artist will describe her work.
4. Advice column. Students ask for and receive advice.

Mientras lees

Page 36
SIDEBAR ACTIVITIES
Para empezar…
Answers will vary.

A. Haz una lista
1. montar en bicicleta
2. patinar
3. pasar el rato con amigos

B. Contesta
1. **b.** a fiestas.
2. **a.** al colegio.
3. **b.** sus dibujos.

C. Compara
Answers will vary. Possible answer:
Students from Spain are not that much different from American students when it comes to leisure activities. They like to surf the Internet, watch television, dance, go out with friends, etc.

Page 37
SIDEBAR ACTIVITIES
A. Identifica
Answers will vary.

B. Contesta
1. **a.** practicar un deporte
2. **a.** escuchar música
3. **b.** salir con amigos
4. **b.** ir al parque

C. Explica
Answers will vary.

Page 38
SIDEBAR ACTIVITIES
A. Identifica
43%. Answers will vary.

B. Contesta
1. **b.** navegar por Internet
2. **a.** más
3. **b.** hablar
4. **b.** moderna

C. ¡Exprésate!
Answers will vary.

Después de leer

Page 39
 A. **En contexto**
  1. **b.** España
  2. **a.** montar en bicicleta
  3. **c.** al colegio
  4. **b.** estudiar arte
  5. **c.** siete preguntas
  6. **a.** navegar por Internet
  7. **a.** Los parques, el fútbol y la playa
  8. **b.** a quien no le gusta hablar.

 B. **¿Cierto o falso?**
  1. **f.** A Eva del Castillo le gusta
     dibujar.
  2. **c.**
  3. **f.** Navegar por Internet es la
     actividad favorita de los
     estudiantes.
  4. **f.** Extrovertida debe comunicarse
     por correo electrónico con el
     amigo que le gusta.
  5. **f.** *¡Aquí y ahora!* es el periódico en
     línea del club de español.

Page 40
 C. **¡Piénsalo bien!**
  Answers will vary.

 D. **¡Exprésate!**
  Letters will vary.

 E. **Un poco más**
  Answers will vary.

Artistas biculturales: *Double Identity*

Page 41
¡Exprésate!
  1. A person who lives in one culture
     but has descended from another.
  2. *Answers will vary.*

Obras de Carmen Lomas Garza

Prepárate: vocabulario

Page 42
 A. **La palabra intrusa**
  1. padre
  2. tocar
  3. vestido
  4. mujer

 B. **Elige**
  1. **b.** criatura
  2. **d.** viejito
  3. **e.** tíos
  4. **c.** pareja
  5. **a.** miembros

Page 43
Estrategia para leer
 A. *Answers will vary. Possible answers:*
   ¿Cuántas personas hay? catorce
   **¿Cuántos hombres, mujeres, y niños
   hay?** Hay cinco hombres, cinco
   mujeres y cuatro niños.
   ¿Dónde están? Están en la cocina.
   ¿Quiénes son? Son miembros de una
   familia.
   ¿Qué hacen? Preparan tamales.
   Mi predicción: *Answers will vary.*

Mientras lees

Page 44
SIDEBAR ACTIVITIES
  Para empezar...
  Answers will vary.

 A. **Subraya**
  padres, abuelo, hermana, mamá, tíos,
  abuelita.
  Six family members are named.

 B. **Contesta**
  1. **a.** la familia de la artista
  2. **b.** catorce
  3. **a.** Todos los miembros de la familia

 C. **Analiza**
  Answers will vary.

Page 45

SIDEBAR ACTIVITIES

A. Describe
Answers will vary. Possible answers:
1. Las niñas bailan.
2. Una mujer toca la guitarra.

B. Contesta
1. **f**. Es una noche de sábado.
2. **c**.
3. **f**. Once parejas bailan en un círculo.
4. **c**.

C. ¡Exprésate!
Answers will vary

Después de leer

Page 46

A. En contexto
1. **b**. grande
2. **a**. en familia.
3. **a**. tamales.
4. **c**. bailar.
5. **b**. hace calor
6. **a**. divertida.

B. En resumen
1. la cocina.
2. tíos
3. ayudan
4. abuelita
5. maíz
6. preparan
7. miembros
8. representa
9. bailan
10. tocan

Page 47

C. ¡Piénsalo bien!
Answers will vary.

D. ¡Exprésate!
Answers will vary.

E. Un poco más
Answers will vary.

9

Capítulo 4

Un día en la vida de Eva

Prepárate: vocabulario

Page 49

A. Empareja
1. **e.** puntual
2. **a.** dibujos
3. **d.** difícil
4. **c.** equipo
5. **b.** siempre

B. ¿Qué dirías?
1. ¡Qué bien!
2. ¡Qué horror!
3. ¡Qué puntual!
4. ¡Qué torpe!

Page 50

C. Elige
1. salgo
2. puntual
3. calculadora
4. sé
5. la mejor

D. Expresiones
1. tengo ganas de
2. tenemos sed
3. tiene prisa
4. tenemos que
5. tiene ganas de

Page 51

Estrategia para leer

A. Preguntas clave
Answers will vary.
Possible answers:
¿Quién? Eva
¿Dónde el colegio
¿Qué? Eva llega tarde a clase.
¿Cuándo? por la mañana

B. Una imagen: más de mil palabras
Answers will vary.
Possible answers:
¿Cómo se siente? She seems very upset.
¿Por qué? Because she's late to class and the teacher is upset with her.

Mientras lees

Page 52

SIDEBAR ACTIVITIES

Para empezar...
Answers will vary.

A. Circle
1. ¡qué horror!
   ¡Que bien!
2. Siempre llegas tarde.
   Siempre llegas a las ocho en punto.

B. Contesta
1. **f.** Eva siempre llega tarde a clase.
2. **c.**
3. **c.**
4. **f.** Eva sabe mucho de computación.

C. Analiza
Answers will vary.

Page 53

SIDEBAR ACTIVITIES

A. Haz una lista
Sustantivos
1. examen
2. respuestas
3. calculadora
4. nota
Adjetivos
1. difícil
2. estricto

B. Contesta
1. **b.** fácil
2. **a.** simpático
3. **a.** le gusta

C. Compara
Answers will vary.

Page 54

SIDEBAR ACTIVITIES

A. Subraya
1. ¡Qué torpe!
2. ¡Eva no es muy atlética!
Eva feels sad and doesn´t want to play in the team.

B. Contesta
1. **b.** tímida
2. **a.** simpáticas
3. **b.** su página Web

C. ¡Exprésate!
Answers will vary.

Después de leer

Page 55
A. En contexto
1. **c.** Tiene prisa.
2. **b.** Tiene que comer algo.
3. **c.** Ella no es muy atlética.
4. **c.** Ella es la mejor jugadora del equipo.
5. **a.** Tiene ganas de dibujar.
6. **a.** ¡Qué bien!

B. ¿Realidad o fantasía?
1. CS
2. R
3. R
4. CS
5. R
6. CS
7. CS
8. R

Page 56
C. ¡Piénsalo bien!
Answers will vary.

D. ¡Exprésate!
Answers will vary.

E. Un poco más
Comic strips will vary.

Artesanía: *Art from the Heart*

Page 57
¡Exprésate!
1. **Artesanía** serves a physical purpose and **arte** does not, it exists for beauty alone.
2. They are passed down through the generations.
3. In the surroundings of the cultural clan.

La artesanía chorotega

Prepárate: vocabulario

Page 58
A. Clasifica
1. decorar
2. diseños
3. modelar
4. pintar
5. inventar
6. sacar ideas

B. Gustavo
1. ayuda
2. modela
3. saca
4. inventa
5. enseñan

Page 59
Estrategia para leer
A. El contexto
Answers will vary. Possible answers:
era: era pequeño, *was, when I was young*
figuritas: hacer figuritas, *little figures, make small dolls*
antiguos: los libros antiguos, *old, the old books*
mente: los saco de la mente, *mind, I get ideas from my own imagination*
tinaja: sobre la tinaja, *earthenware jar, in the jar*
other words: *Answers will vary.*

Mientras lees

Page 60
SIDEBAR ACTIVITIES

Para empezar...
Answers will vary.

A. Subraya
1. ¿Desde cuándo?, *Since when?*
2. siempre, *always*
3. ahora, *now*
4. veces, *sometimes*
5. antes, *before*
Sentences will vary.

B. Contesta
1. **b.** el taller
2. **a.** sus padres
3. **b.** la tinaja

C. Analiza
Answers will vary. Possible answers:
1. Siempre me ha gustado ayudar a mi madre.
2. Ahora pintar y decorar las piezas.

Page 61

SIDEBAR ACTIVITIES

A. Ponle color
1. Todos tenemos que colaborar. *We all have to help*
2. ¿Te quieres dedicar…? *Do you want to dedicate yourself to…?*
Sentences will vary.

B. Contesta
1. **c.**
2. **c.**
3. **f.** Gustavo pinta una tinaja grande en media hora.

C. ¡Exprésate!
Answers will vary. Possible answers:
artistic, patient

Después de leer

Page 62

A. En contexto
1. **c.** sus padres
2. **b.** pintar las vasijas
3. **a.** su mente
4. **b.** en la tinaja
5. **a.** los antepasados chorotegas
6. **c.** todos tienen que colaborar en el taller.

B. En resumen
1. taller
2. vasijas
3. decoran
4. diseños
5. ayuda
6. pintar
7. saca
8. inventa

Page 63

C. ¡Piénsalo bien!
Answers will vary.

D. ¡Exprésate!
Designs will vary.

E. Un poco más
Answers will vary.

(12)

Capítulo 5

Un día en la vida de Daniel

Prepárate: vocabulario

Page 65

A. La palabra intrusa
1. hijo
2. comedor
3. trabajar
4. hermano
5. escribir
7. hacer

B. ¿En dónde...?
1. el comedor
2. la oficina
3. el jardín
4. el cuarto
5. la ciudad
6. las afueras

Page 66

C. Elige
1. pez
2. le toca
3. afueras
4. enfrente de
5. cena

D. ¿Entiendes?
1. vuelven
2. entiendo
3. almorzamos
4. empiezan
5. tiene

Page 67

Estrategia para leer

A. El propósito del escritor
Answers will vary. Possible answers:
1. b.
2. d.
3. e.
4. a.
5. b., c.
6. a., b., c., d., e.
7. b., c.
8. a., d.
9. f.
10. b., f.

B. ¿Un *blog* en Internet?
Answers will vary.

Mientras lees

Page 68

SIDEBAR ACTIVITIES

Para empezar...
Answers will vary.

A. Identifica
1. abuelos (abuelo, abuela)
2. padres (padre, madre)
3. hermanos (hermano, hermana)
Including Daniel, there are seven members in his family.

B. Contesta
1. **f.** Daniel y su familia viven en las afueras de la ciudad.
2. **c.**
3. **f.** El papá de Daniel es muy callado.

C. Analiza
Answers will vary. Possible answer:
four bedrooms

Page 69

SIDEBAR ACTIVITIES

A. Ponle color
1. duermo, dormir
2. almuerzo, almorzar
3. juego, jugar

B. Contesta
1. **a.** habitación
2. **b.** duerme
3. **a.** su familia
4. **b.** el parque

C. Compara
Answers will vary.

Page 70

SIDEBAR ACTIVITIES

A. Subraya
1. Adentro: mamá en la cocina, papá en la oficina
2. Afuera: los abuelos en el jardín

B. Contesta
1. **a.** la cocina
2. **b.** duerme
3. **a.** del televisor
4. **b.** descansan en

C. ¡Exprésate!
Answers will vary.

Después de leer

Page 71
A. En contexto
1. **b.** En las afueras de la ciudad.
2. **b.** Es un poco canoso.
3. **c.** A su hermano le toca limpiarlo.
4. **a.** porque prefiere jugar en el parque.
5. **b.** porque quiere conocer a una chica.
6. **c.** Daniel no sabe que pasa en su casa.

B. En resumen
1. afueras
2. jardín
3. hablar
4. cuarto
5. perro
6. duerme
7. almuerza
8. juega

Page 72
C. ¡Piénsalo bien!
1. *Answers will vary.*
2. *Answers will vary.*
3. *Answers will vary. Possible answer:* Daniel likes to write in his blog hoping that someday a girl will read what he writes and will want to meet him.

D. ¡Exprésate!
Answers will vary.

E. Un poco más
Answers will vary.

Escritoras hispanas: *Breaking Barriers*

Page 73
¡Exprésate!
1. Emilia Pardo Bazán, Gabriela Mistral, Carmen Laforet, Ana María Matute, Carmen Martín Gaite
2. *Answers will vary. Possible answers: Como agua para chocolate, Tan veloz como el deseo, La casa de los espíritus, La hija de la fortuna, Retrato en Sepia, Paula, Mi país inventado*

Las novelas de Isabel Allende

Prepárate: vocabulario

Page 74
A. Empareja
1. **e.** después
2. **d.** mayor
3. **b.** comunicarse
4. **f.** obligaciones
5. **a.** decir que no
6. **c.** ninguna persona

B. Clasifica
1. en tercer grado
2. cercanos
3. generaciones
4. parientes
5. remotos
6. de más edad

Page 75
Estrategia para leer
A Palabras clave
Answers will vary.

Mientras lees

Page 76
SIDEBAR ACTIVITIES
Para empezar...
Answers will vary.

A. Subraya
su(abuelo), su(novela), su(vida), su(hija), su(libro), sus(parientes)
three

B. Contesta
1. **b.** su abuelo
2. **a.** Isabel
3. **b.** parientes
4. **a.** *La casa de los espíritus*

C. Analiza
Answers will vary. Possible answers: her family, her native country

Page 77

SIDEBAR ACTIVITIES

A. Ponle color
1. Al tío Ramón le corresponde ponerse en contacto con toda la familia.
2. Nadie puede negarse a ayudar. La familia es <u>inviolable</u> y <u>sagrada</u>.

B. Contesta
1. **f.** Isabel es de Chile y vive en los Estados Unidos.
2. **f.** El tío Ramón es el miembro de más edad de la familia.
3. **c.**
4. **c.**

C. ¡Exprésate!
Answers will vary.

Después de leer

Page 78

A. En contexto
1. **b.** su familia
2. **c.** una carta a su abuelo.
3. **a.** a la edad de 24 años.
4. **b.** pariente cercano
5. **c.** hija
6. **a.** puede negarse

B. En resumen
1. parientes
2. en tercer grado
3. enfermera
4. medios
5. de más edad
6. ponerse en contacto
7. deber
8. generaciones

Page 79

C. ¡Piénsalo bien!
Answers will vary.

D. ¡Exprésate!
Answers will vary.

E. Un poco más
Answers will vary.

Capítulo 6

Eva y la cita desastrosa

Prepárate: vocabulario

Page 81

A. En un restaurante
Personas
1. camarero(a)
2. jefe de cocina
Platos
1. sopa de pescado
2. tacos de pollo
Acciones
1. pedir
2. probar

B. Empareja
1. **e.** una cita
2. **d.** suena
3. **b.** la cuenta
4. **a.** un refresco
5. **c.** está riquísimo

Page 82
C. ¿Tiene sentido o no?
1. No
2. No
3. Sí
4. Sí
5. No

D. ¿Cuál pronombre?
1. lo
2. probar**la**
3. pedir**las**
4. los
5. la

Page 83

Estrategia para leer
A. Mis propias conclusiones
Answers will vary.

Mientras lees

Page 84

SIDEBAR ACTIVITIES
Para empezar...
Answers will vary.

A. Ponle color
Highlight:
Bobby es un muchacho muy simpático.
Bobby es muy extrovertido y sociable.
Eva es un poco tímida.
Son diferentes: Bobby es extrovertido y sociable y Eva es tímida.

B. Contesta
1. **a.** un restaurante.
2. **b.** mexicana.
3. **b.** la cafetería
4. **a.** muy nervioso.

C. Analiza
Answers will vary. Possible answers:
It doesn't seem that Eva is having a good time. Her answers are mostly **sí, no,** or **silencio.** She doesn't seem interested in the conversation or in Bobby.

Page 85

SIDEBAR ACTIVITIES
A. Subraya
1. **lo** lee (el menú)
2. **la** esperan (la comida)
3. ¿Puedo ver**las**? **Las** busco (las tiras cómicas)

B. Contesta
1. **b.** el menú.
2. **a.** hablar
3. **a.** las tiras cómicas
4. **b.** no tiene hambre.

C. Analiza
Answers will vary.

Page 86

SIDEBAR ACTIVITIES
A. Subraya
Bobby: ¡Dios mío! ¡Perdóname, Eva! ¡Ay, no! ¡Qué torpe soy!
Eva: ¡Pobre Bobby!, no sabe qué hacer…;¡Perdóname, Bobby!

B. Contesta
1. **b.** lo contesta.
2. **a.** sobre Eva
3. **b.** la sopa
4. **a.** nervioso

C. ¡Exprésate!
Answers will vary.

Después de leer

Page 87

A. En contexto

1. **b.** En la página Web de Eva.
2. **a.** que ella no está contenta.
3. **a.** la sopa de pescado
4. **b.** Dice que él es torpe.
5. **a.** Dibuja una tira cómica de la cita.
6. **c.** Eva.

B. En resumen

1. restaurante
2. nervioso
3. hace caer
4. reírse
5. cuenta
6. cita
7. contento
8. desastrosa

Page 88

C. ¡Piénsalo bien!

Answers will vary.

D. ¡Exprésate!

Answers will vary.

E. Un poco más

Answers will vary.

Sabor étnico: *Culture in a Dish*

Page 89

1. *Answers will vary.*
2. Fried plantains
3. Tapas are small snacks. You would eat them in Spain in the early evening.

La comida de dos continentes

Prepárate: vocabulario

Page 90

A. Con lógica

1. **a.** rojo
2. **e.** picante
3. **b.** hervido
4. **d.** preparación
5. **c.** cultivar

B. La palabra intrusa

1. grano
2. asegurar
3. venenoso
4. mole
5. sustancia
6. contar

Page 91

Estrategia para leer

A. La idea principal

Answers will vary. Possible answers:

El tomate: Tomato is a basic ingredient all over the world, even though Europeans at first thought it was poisonous because of its bright red color.

El chocolate: ¿para beber o comerciar? Chocolate had many uses for the Aztecs. They would drink it during their religious ceremonies and in their daily lives. They also used it for trading.

El maíz: sustancia del hombre Corn is eaten by everyone in the Maya kingdom, and it was even thought that man was made of corn.

Los chiles: el picante del mundo Chiles add flavor to foods and is especially important in Mexico where hundreds of varieties can be found.

Mientras lees

Page 92

SIDEBAR ACTIVITIES

Para empezar...
Answers will vary.

A. Subraya

Underline: tomate, miel, agua, vainilla, chocolate

Ingredients to prepare "el chocolate":
1. miel
2. agua
3. vainilla
4. chocolate

B. Contesta
   1. **a.** El chocolate
   2. **b.** venenosa
   3. **c.** toman

C. Analiza
Answers will vary. Possible answers:
It was Moctezuma's favorite drink. It
had an important place in religious
ceremonies and it was used for trading.

Page 93

SIDEBAR ACTIVITIES

A. Ponle color
Highlight: empieza, cuenta, vienen,
prueban
Infinitives:
   1. empezar
   2. contar
   3. venir
   4. probar

B. Contesta
   1. **f.** El maíz es un grano original de
      América.
   2. **c.**
   3. **f.** El chile es muy popular en
      Tailandia.

C. ¡Exprésate!
Answers will vary.

Después de leer

Page 94
A. En contexto
   1. **c.** la preparación
   2. **a.** antes del trabajo.
   3. **b.** México.
   4. **c.** el maíz
   5. **a.** chiles
   6. **b.** Tailandia

B. Hecho u opinión
   1. opinión
   2. hecho
   3. opinión
   4. hecho
   5. opinión
   6. hecho
   7. hecho
   8. opinión

Page 95
C. ¡Piénsalo bien!
Answers will vary.

D. ¡Exprésate!
Answers will vary.

E. Un poco más
Answers will vary.

   18

Capítulo 7

Daniel y sus aventuras sin gracia

Prepárate: vocabulario

Page 97

A. ¡Siempre lo mismo!
1. levantarse
2. bañarse
3. lavarse los dientes
4. acostarse

B. Con lógica
1. **b.** aburrido
2. **e.** melodramático
3. **d.** leer
4. **c.** dibujos
5. **a.** enviar un correo

Page 98

C. En mi familia
1. me baño
2. se acuestan
3. se queja
4. nos quitamos
5. te levantas

D. ¡Órdenes y más órdenes!
1. Levántate
2. Duérmete
3. no te quejes
4. seas
5. Ponte en contacto

Page 99

Estrategia para leer

A. Órden cronológico

Secuencia temporal: ahora, luego, antes de, hoy, mañana, al final, a veces, siempre

En un día de colegio: por la mañana, después de clases, por la tarde, por la noche, empezar

En un mes: el fin de semana, el viernes, el sábado, el domingo, el fin de mes, el primero de

En un año: en verano, en otoño, en primavera, en diciembre

B. ¿Qué pasa primero?
Answers will vary.

Mientras lees

Page 100

<u>SIDEBAR ACTIVITIES</u>

Para empezar...
Answers will vary.

A. Identifica:
Underline
1. Por las mañanas, me levanto, me baño y me lavo los dientes.
2. Luego, en el colegio voy a las clases, como en la cafetería y después voy al gimnasio a levantar pesas.
3. Por las noches, ceno con la familia, hago la tarea y me acuesto.
   1. Se levanta.
   2. Se acuesta.

B. Contesta
1. **b.** aburrido
2. **a.** se baña
3. **b.** se acuesta
4. **b.** interesante

C. Analiza
Answers will vary.

Page 101

<u>SIDEBAR ACTIVITIES</u>

A. Ponle color
- levántate
- ¡Límpialo...!
- Prepáralos
- Lávalo
- ¡Sácalo...!
- ¡Quítalos...!
1. no pongas
2. ¡No esperes...!

B. Contesta
1. **b.** órdenes
2. **a.** Limpia el cuarto ahora.
3. **b.** Prepara
4. **a.** mañana
5. **b.** ¡Saca al perro ahora mismo!

C. Compara
Answers will vary.

Page 102

SIDEBAR ACTIVITIES

A. Subraya

Underline: Sigue, envíale, búscala
Daniel puede ponerse en contacto con Eva por correo electrónico.

B. Contesta

1. **a.** buscar ideas para su blog
2. **a.** del club de español
3. **b.** los seis años
4. **a.** enviarle un e-mail.

C. ¡Exprésate!

Answers will vary.

Después de leer

Page 103

A. En contexto

1. **a.** Porque hace las mismas cosas todos los días.
2. **b.** Buscar un pasatiempo.
3. **c.** Sus padres y sus abuelos.
4. **a.** Sacarlo a pasear.
5. **b.** Lavarlo.
6. **a.** porque le gusta Eva.

B. ¿Comprendiste?

1. Se levanta, se baña, se lava los dientes, va a las clases, come en la cafetería, va al gimnasio a levantar pesas, cena con la familia, hace la tarea y se acuesta.
2. Daniel, levántate y limpia tu cuarto. ¡Límpialo ahora mismo! Daniel, no pongas los pies en la mesa. ¡Quítalos de allí inmediatamente!
3. Daniel, prepara los sándwiches para tus hermanos. Prepáralos con el pan fresco.
   Daniel, haz la tarea antes de acostarte. ¡No esperes hasta el domingo para hacerla!
4. Daniel, saca al perro a pasear. ¡Sácalo ahora mismo! Daniel, lava el carro. Lávalo esta mañana, por favor.
5. Su amigo le dice que debe conseguir un pasatiempo.
6. Decide ir a la página de un colegio que está al otro lado de la ciudad para ver qué escriben los estudiantes de ese colegio. Busca ideas para su blog.

Page 104

C. ¡Piénsalo bien!

Answers will vary.

D. ¡Exprésate!

Answers will vary.

E. Un poco más

E-mails will vary.

Dichos: *The Joy in Wordplay*

Page 105

Dichos:

1. **A mal tiempo buena cara.** Grin and bear it.
2. **En gustos no hay disgustos.** To each his/her own.
3. **No dejes para mañana lo que puedes hacer hoy.** Don't put off until tomorrow what you can do today.

¡Exprésate!

1. They are all a form of wordplay.
2. To provoke laughter.
3. *Answers will vary.*

Juegos de palabras

Prepárate: vocabulario

Page 106

A. La palabra intrusa

1. relámpago
2. rogar
3. tierra
4. nubes
5. sol
6. despierto

B. Elige

1. cielo
2. tormenta
3. llueve
4. estrellas
5. nubes
6. vuelan

Page 107
Estrategia para leer
A. Palabras clave
Answers will vary.

Mientras lees

Page 108
Sidebar Activities
Para empezar...
A puzzle or question to be solved.
A. Subraya
1. lluvias
2. nubes
3. viento
4. cielo
5. desierto

B. Contesta
1. **a.** dos piernas
2. **b.** andar
3. **b.** la lluvia
4. **a.** al desierto

C. Analiza
pantalones; lluvia

Page 109
SIDEBAR ACTIVITIES
A. Ponle color
adjectives: redondas, negras, fuerte, mellizos
1. una tormenta fuerte
2. un pantalón negro

B. Contesta
1. tormentas
2. relámpago
3. trueno
4. estrellas

C. ¡Exprésate!
Answers will vary.

Después de leer

Page 110
A. En contexto
1. **a.** andar
2. **c.** el hombre
3. **a.** muchos rincones del mundo.
4. **a.** nubes
5. **a.** de día.
6. **b.** de noche

B. En resumen
1. pantalones
2. lluvia
3. nubes
4. tormenta
5. trueno
6. relámpago
7. estrellas
8. cielo
9. despiertas
10. dormido

Page 111
C. ¡Piénsalo bien!
Answers will vary.

D. ¡Exprésate!
Answers will vary.

E. Un poco más
Answers will vary.

Capítulo 8

Un amigo cibernético

Prepárate: vocabulario

Page 113

A. De compras
1. a la moda
2. ganga
3. quedar
4. talla
5. probarse
6. bolsa

B. Empareja
1. **c.** dar un ejemplo con dibujos
2. **e.** algo o alguien del ciberespacio
3. **a.** ponerse en contacto
4. **b.** dibujos cómicos que cuentan un cuento
5. **d.** ponerso algo para ver cómo queda

Page 114

C. Él y ella
1. conocer
2. ilustrar
3. aunque
4. imprimir
5. cibernéticos

D. ¿Presente o pasado?
1. **a.** vamos
2. **a.** compré
3. **b.** te queda
4. **a.** se prueba
5. **b.** envió

Page 115

Estrategia para leer

A. ¿Qué será, será...?
Answers will vary.

Mientras lees

Page 116

SIDEBAR ACTIVITIES

Para empezar...
Answers will vary.

A. Ponle color
Yo tengo un *blog* en la Web.
Answers will vary. Possible answer:
It would make her think that they have something in common. He has a *blog* on the Web, and she has her drawings on the Web.

B. Contesta
1. **a.** por e-mail
2. **b.** curiosa
3. **b.** su bolsa
4. **a.** al centro comercial

C. Analiza
Answers will vary.

Page 117

SIDEBAR ACTIVITIES

A. Identifica
1. Los jeans te quedan muy grandes y la blusa, ¡muy pequeña!
2. Y estos jeans te quedan mucho mejor.

B. Contesta
1. **b.** una blusa de seda
2. **a.** barata
3. **b.** más pequeña
4. **a.** Bobby

C. Infiere
Answers will vary.

Page 118

SIDEBAR ACTIVITIES

A. Haz una lista
1. Ella regresó a casa.
2. Ella contestó el e-mail de Daniel.
3. Ella dibujó una tira cómica y se la envió.

B. Contesta
1. **b.** la fiesta
2. **a.** Bobby
3. **a.** diario
4. **b.** una tira cómica

C. ¡Exprésate!
Answers will vary.

Después de leer

Page 119
A. En contexto
1. **c.** Ideas para una clase de dibujo.
2. **a.** Quiere saber más de él.
3. **c.** Quiere verse bien en la fiesta de Bobby.
4. **a.** Unos jeans y una blusa.
5. **c.** Quiere ser su amiga.
6. **c.** Le gusta muchísimo.

B. ¿Comprendiste?
1. Le envió un e-mail.
2. Fueron de compras.
3. Ella se probó unos jeans y una blusa de seda.
4. Los primeros jeans le quedaron muy grandes.
5. Que sólo quiere ser su amiga.
6. Le envió una tira cómica.

Page 120
C. ¡Piénsalo bien!
Answers will vary.

D. ¡Exprésate!
Answers will vary.

E. Un poco más
Answers will vary.

La poesía: *Images and Emotion*

Page 121
¡Exprésate!
1. Images
2. A Mexican poet from the 17th century
3. His love poetry

El amor a la poesía

Prepárate: vocabulario

Page 122
A. Con lógica
1. **b.** preguntas
2. **d.** gel
3. **c.** al mismo tiempo
4. **a.** luchar
5. **e.** dividido

B. Clasifica
Answers will vary. Possible answers: dudas, tener miedo, dividido, esfuerzos, grito, reclamar, luchar, corazón, separados

Page 123
Estrategia para leer
A. Imágenes
Images and impressions will vary.

Mientras lees

Page 124
SIDEBAR ACTIVITIES
Para empezar...
Answers will vary.
A. Subraya
Underline: yo, tú, el niño, la niña
yo: the poet
tú: the poet's husband

B. Contesta
1. **a.** la madre
2. **b.** a las siete
3. **a.** a las ocho
4. **b.** Ven televisión.

C. Analiza
Answers will vary.

Page 125
SIDEBAR ACTIVITIES
A. Ponle color
Highlight: estar aquí, estar allá
1. Está aquí.
2. Quiere estar allá.

B. Contesta
1. **f.** La poetisa vive en Estados Unidos.
2. **c.**
3. **f.** Ella sí tiene miedo de reclamar.
4. **c.**

C. ¡Exprésate!
Answers will vary.

Después de leer

Page 126

A. En contexto
1. **b.** cuatro
2. **b.** a diferentes horas.
3. **a.** juntos.
4. **c.** no sabe dónde quiere estar.
5. **a.** ser norteamericana o ser cubana
6. **b.** pero tiene miedo de reclamar.

B. En resumen
1. esfuerzos
2. allá
3. gel
4. olor
5. canción
6. tonada

Page 127

C. ¡Piénsalo bien!
Answers will vary.

D. ¡Exprésate!
Poems will vary.

E. Un poco más
Answers will vary.

Capítulo 9

Cosas del destino

Prepárate: vocabulario

Page 129

A. La palabra intrusa
1. genial
2. imaginario
3. corazón
4. saludar
5. ya
6. invitado

B. Empareja
1. **e.** una relación romántica
2. **c.** no acordarse
3. **a.** algo que existe sólo en la imaginación
4. **b.** celebrar
5. **d.** traer a la memoria

Page 130

C. Otra fiesta
1. ¿Qué hay de nuevo?
2. saludaste
3. flores
4. conozco
5. ¡A lo mejor!

D. ¿Qué están haciendo?
1. Unos chicos están charlando.
2. Otros están comiendo.
3. Mamá está sirviendo los refrescos.
4. Nosotros estamos bailando.
5. El invitado principal esta abriendo los regalos.

Page 131

Estrategia para leer

A. ¡Así son!
Answers will vary. Possible answers:
Eva: tímida, creativa, le gusta dibujar, quiere ser amiga de Bobby, le interesa Daniel
Bobby: extrovertido, está en el Club de Español, le interesa Eva
Daniel: cómico, creativo, escribe un *blog*, quiere conocer a Eva

B. ¿Bobby o Daniel?
Answers will vary.

Mientras lees

Page 132

SIDEBAR ACTIVITIES

Para empezar...
Answers will vary.

A. Haz una lista
1. Daniel y Eduardo están hablando en el parque.
2. Unos chicos están hablando y bebiendo refrescos.
3. Unos chicos están bailando.

B. Contesta
1. **b.** una tira cómica.
2. **a.** a una fiesta
3. **b.** el Día de los Enamorados

C. Infiere
Answers will vary. Possible answer:
Daniel may feel unconfortable because he doesn't know anyone at the party.

Page 133

SIDEBAR ACTIVITIES

A. Subraya
1. Roberto
2. Desde niño, todos lo llaman Bobby.

B. Contesta
1. **a.** el primo
2. **a.** Eva
3. **b.** imaginario.
4. **b.** bailar.

C. Predice
Answers will vary.

Page 134

SIDEBAR ACTIVITIES

A. Subraya
Answers will vary.

B. Contesta
1. **b.** amigos
2. **a.** tarjetas
3. **b.** una idea
4. **a.** una tarjeta romántica

C. ¡Exprésate!
Answers will vary.

Después de leer

Page 135
A. En contexto
1. **b.** que él se debe olvidar de Eva
2. **c.** que son imaginarios
3. **c.** Eva
4. **a.** se está divirtiendo.
5. **c.** Le envía flores a su novia.
6. **c.** un regalo

B. ¿Comprendiste?
1. En casa de Bobby.
2. Bobby, Ana, Eva, Doris, Daniel, Eduardo
3. Eduardo es el amigo de Daniel. Conoce a Bobby porque es su primo.
4. Que deben ser amigos, nada más.
5. Primero se siente mal, pero luego se divierte con Ana.
6. Porque sigue pensando en Eva.
7. Porque tiene una idea para enviarle algo a Eva.

Page 136
C. ¡Piénsalo bien!
Answers will vary.

D. ¡Exprésate!
Images will vary.

E. Un poco más
Cards will vary.

Festividades : *Celebrations and Holidays*

Page 137
¡Exprésate!
Answers will vary.

El regalo de cumpleaños

Prepárate: vocabulario

Page 138
A. Con lógica
1. **d.** costar mucho
2. **e.** sonrisa
3. **a.** nudo en la garganta
4. **c.** regresar
5. **b.** estar tranquilo

B. Palabras opuestas
1. sonreír
2. regresar
3. estar tranquilo
4. barato
5. recordar
6. comenzar

Page 139
Estrategia para leer
A. Por lo tanto
Answers will vary.

Mientras lees

Page 140
SIDEBAR ACTIVITIES
Para empezar...
Answers will vary.

A. Subraya
1. Pasa mucho rato mirando la fotografía de su mamá. *He spends a lot of time looking at his mother's photograph.*
2. Pasa todo el día diciéndole que debe divertirse. *She spends the whole day telling her grandson to have a good time.*

B. Contesta
1. **b.** triste.
2. **a.** divertirse.
3. **a.** una sonrisa.

C. Analiza
Answers will vary.

Page 141
SIDEBAR ACTIVITIES
A. Ponle color
Va a regresar pronto.
Va a pasar el cumpleaños con su hijo.
Va a hacer todo lo posible para complacerlo.
Va a conseguir esa sonrisa.
Answers will vary. Possible answers:
1. Having his mom at home for his birthday.
2. Getting the promised smile from his mother.

B. Contesta
1. c.
2. c.
3. **f.** La madre va a regresar a la República Dominicana.
4. **f.** Lo que el niño quiere es difícil de conseguir.
5. c.

C. Infiere
Answers will vary.

Page 142

SIDEBAR ACTIVITIES

A. Ponle color
1. nervioso
2. emocionado
3. la esperanza
4. un nudo en la garganta
   Answers will vary.

B. Contesta
1. **b.** David
2. **b.** tranquilo
3. **a.** tiene un nudo en la garganta
4. **b.** lo abraza.

C. Predice
Answers will vary.

Page 143

SIDEBAR ACTIVITIES

A. Ponle color
Happy feelings:
1. abrazó a su madre
2. comenzó a sonreír
Sad feelings:
1. manos temblorosas
2. los ojos llenos de lágrimas

B. Contesta
1. Tiene miedo.
2. Un papelito.
3. Que su madre va a venir a quedarse con él definitivamente.
4. Comienza a sonreír.

C. ¡Exprésate!
Answers will vary.

Después de leer

Page 144

A. En contexto
1. **b.** la República Dominicana
2. **a.** Nueva York
3. **c.** conseguir un empleo.
4. **b.** él nunca sonríe.
5. **a.** hacer lo que David quiere.
6. **c.** un nudo

B. En resumen
1. comprende 2. conseguir 3. sonrisa
4. abraza 5. marcharse

Page 145

C. ¡Piénsalo bien!
Answers will vary.

D. ¡Exprésate!
Answers will vary.

E. Un poco más
Answers will vary.

Capítulo 10

¡Un amor de leyenda!

Prepárate: vocabulario

Page 147

A. De viaje
1. desembarcar
2. boleto de avión
3. control de seguridad
4. hacer un viaje
5. pasajero
6. sacar fotos

B. Empareja
1. **c.** pensar que todo va a salir bien
2. **a.** creer en algo que no tiene explicación
3. **e.** muy preocupado
4. **f.** hacer contacto
5. **d.** tratar de nuevo
6. **b.** alegrarse

Page 148

C. Consejos para vivir feliz
1. animarte
2. esfuerzo
3. tienes fé
4. la esperanza
5. destino

D. Un viaje a todo dar
1. hizo
2. abordaron, desembarcaron
3. tuvieron
4. perdió
5. fueron
6. sacaron

Page 149

Estrategia para leer

A. Cuéntame un cuento
Answers will vary.

Mientras lees

Page 150

SIDEBAR ACTIVITIES

Para empezar...
Answers will vary.

A. Subraya
1. **Eva:** Eva está muy triste. Para animarse un poquito, decide ir a un café de Internet. Quiere olvidarse de Daniel
2. **Daniel:** Está desesperado. Está loco por comunicarse con Eva.

B. Contesta
1. **b.** por Internet.
2. **a.** no pueden.
3. **a.** a un café de Internet.

C. Predice
Answers will vary.

Page 151

SIDEBAR ACTIVITIES

A. Haz una lista
Highlight: *Possible answers:*
Hice un viaje…
¿Por qué no me dijiste?
Pensé mandarte…
dejé mi computadora…
¿Perdiste la computadora?
Sí, desembarqué sin ella.
Hablé con el gerente
1. dejó
2. perdió
3. desembarcó

B. Contesta
1. **a.** en un café de Internet.
2. **b.** mensaje instantáneo
3. **a.** por no comunicarse con ella
4. **a.** un boleto de avión

C. Infiere
Answers will vary.

Page 152

SIDEBAR ACTIVITIES

A. Subraya
Underline: Pensé. Me encantó. … los chicos aprendieron
Infinitives: pensar, encantar, aprender

B. Contesta
1. **b.** Pilar
2. **a.** a Graciela
3. **b.** al parque de diversiones
4. **a.** una lección importante

 (28)

C. ¡Exprésate!
Answers will vary.

Después de leer

Page 153
A. En contexto
1. **c.** Pierde su computadora.
2. **a.** Que él ya no quiere comunicarse con ella.
3. **c.** Va a un café de Internet.
4. **b.** Para animarse un poco.
5. **c.** Un boleto de avión a Morelia, México.
6. **a.** Unas fotos de su ciudad.

B. En resumen
Summaries will vary.

Page 154
C. ¡Piénsalo bien!
Answers will vary.

D. ¡Exprésate!
Answers will vary.

E. Un poco más
Legends will vary.

Leyendas: *Stories that Explain the Inexplicable*

Page 155
¡Exprésate!
1. *Answers will vary.*
2. Two mountains in Mexico; an Aztec warrior and an Aztec princess

Ollantaytambo

Prepárate: vocabulario

Page 156
A. La palabra intrusa
1. venganza
2. malvado
3. casco de oro
4. casarse
5. descendientes

B. Leyendas
1. riquezas
2. fortalezas

3. justos, malvados
4. conquistan
5. venganza

Page 157
Estrategia para leer
A. Predicciones
Answers will vary.

Mientras lees

Page 158

Para empezar...
Answers will vary.

A. Subraya
1. Pachacútec: se pone rojo de ira, castiga *(evil)*
2. Rumiñahui: venganza, malvado *(evil)*
3. Tupac Yupanqui: bueno, justo *(good)*

B. Contesta
1. **a.** un guerrero
2. **b.** el más valiente
3. **a.** Ollantay
4. **a.** Cusi Coyllur

C. Analiza
Answers will vary.

Page 159

A. Haz una lista
1. pueblo
2. intacto
3. antigua
4. asombrosa
5. arquitectura

B. Contesta
1. Un pueblo peruano
2. En la provincia de Urubamba, cerca de Machu Picchu
3. descendientes de los primeros ocupantes
4. una antigua fortaleza inca
5. No se sabe cómo transportaron las piedras desde lugares lejanos.

   (29)

C. ¡Exprésate!
Answers will vary.

Después de leer

Page 160
A. En contexto
1. **b.** la princesa Cosi Coyllur.
2. **a.** Ollantay ama a la princesa.
3. **c.** en una cueva
4. **b.** hace prisioneros
5. **a.** es bueno y justo.
6. **a.** una ciudad de piedra.

B. En resumen
Summaries will vary.

Page 161
C. ¡Piénsalo bien!
Answers will vary.

D. ¡Exprésate!
Answers will vary.

E. Un poco más
Legends will vary.

(**30**)

APEX

TP_CF

HOLT, RINEHART AND WINSTON

A Harcourt Education Company